*publication PN°1*
Bibliothek der Provinz

*publication PN°1*
Bibliothek der Provinz

Laterne, Laterne, …

Adalbert Stifter
Die Sonnenfinsternis

illustriert* und herausgegeben von
Richard Pils

*Verlag*
*publication PN°*1

A-3970 WEITRA

ISBN 3 900878 72 2

printed in Austria
by
Plöchl
A-4240 Freistadt

*nach Fotos der Sonnenfinsternis
vom 30. 6. 1973 und 16. 2. 1980
von Hans Bernhard

Adalbert Stifter

# Die Sonnenfinsternis

am 8. Juli 1842

# Die Sonnenfinsternis

## am 8. Juli 1842

*Es gibt Dinge, die man fünfzig Jahre weiß, und im einundfünfzigsten erstaunt man über die Schwere und Furchtbarkeit ihres Inhaltes. So ist es mir mit der totalen Sonnenfinsternis ergangen, welche wir in Wien am 8. Juli 1842 in den frühesten Morgenstunden bei dem günstigsten Himmel erlebten. Da ich die Sache recht schön auf dem Papiere durch eine Zeichnung und Rechnung darstellen kann und da ich wußte, um so und so viel Uhr trete der Mond unter der Sonne weg und die Erde schneide ein Stück seines kegelförmigen Schattens ab, welches dann wegen des Fortschreitens des Mondes in seiner Bahn und wegen der Achsendrehung der Erde einen schwarzen Streifen über ihre Kugel ziehe, was man dann an verschiedenen Orten zu verschiedenen Zeiten in der Art sieht, daß eine schwarze Scheibe in die Sonne zu rücken scheint, von ihr immer mehr und mehr wegnimmt bis nur eine schmale Sichel übrigbleibt und endlich auch die verschwindet – auf Erden wird es da immer finsterer und finsterer, bis wieder am anderen Ende die Sonnensichel erscheint und wächst und das Licht auf Erden nach und nach wieder zum vollen Tage anschwillt – dies alles wußte ich voraus, und zwar so gut, daß ich eine totale Sonnenfinsternis im voraus so treu beschreiben zu können vermeinte, als hätte ich sie bereits gesehen. Aber da sie nun wirklich eintraf, da ich auf einer Warte hoch über der ganzen Stadt stand und die Erscheinung mit eigenen Augen anblickte, da geschahen freilich ganz andere Dinge, an die ich weder wachend noch träumend gedacht hatte und an die keiner denkt, der das Wunder nicht gesehen. – Nie und nie in meinem ganzen Leben war ich so erschüttert, von Schauer und Erhabenheit so erschüttert, wie in diesen zwei Minuten – es war nicht anders, als hätte Gott auf einmal ein deutliches Wort gesprochen, und ich hätte es verstanden. Ich stieg von der Warte herab, wie vor tausend und tausend Jahren etwa Moses von dem brennenden Berge herabgestiegen sein mochte, verwirrten und betäubten Herzens.*

*Es war ein so einfach Ding. Ein Körper leuchtet einen andern an, und dieser wirft seinen Schatten auf einen dritten: aber die Körper stehen in solchen Abständen, daß wir in unserer Vorstellung kein Maß mehr dafür haben, sie sind so riesengroß, daß sie über alles, was wir groß heißen, hinausschwellen – ein solcher Komplex von Erscheinungen ist mit diesem einfa-*

*chen Dinge verbunden, eine solche moralische Gewalt ist in diesen physischen Hergang gelegt, daß er sich unserem Herzen zum unbegreiflichen Wunder emportürmt. Vor tausendmal tausend Jahren hat Gott es so gemacht, daß es heute zu dieser Sekunde sein wird; in unsere Herzen aber hat er die Fibern gelegt, es zu empfinden. Durch die Schrift seiner Sterne hat er versprochen, daß es kommen werde nach tausend und tausend Jahren, unsere Väter haben diese Schrift entziffern gelernt und die Sekunde angesagt, in der es eintreffen müsse; wir, die späten Enkel, richten unsere Augen und Sehröhre zu gedachter Sekunde gegen die Sonne, und siehe, es kommt – der Verstand triumphiert schon, daß er ihm die Pracht und Einrichtung seiner Himmel nachgerechnet und abgelernt hat – und in der Tat, der Triumph ist einer der gerechtesten des Menschen – es kommt, stille wächst es weiter, aber siehe, Gott gab ihm auch für das Herz etwas mit, was wir nicht voraus gewußt und was millionenmal mehr wert ist, als was der Verstand begriff und vorausrechnen konnte: das Wort gab er ihm mit: „Ich bin" – – „nicht darum bin ich, weil diese Körper sind und diese Erscheinung, nein, sondern darum, weil es euch in diesem Momente euer Herz schauernd sagt und weil dieses Herz sich doch trotz der Schauer als groß empfindet." – – Das Tier hat gefürchtet, der Mensch hat angebetet.*

Ich will es in diesen Zeilen versuchen, für die tausend Augen, die zugleich an jenem Momente zum Himmel aufblickten, das Bild, und für die tausend Herzen, die zugleich schlugen, die Empfindung nachzumalen und festzuhalten, insoferne dies eine schwache, menschliche Feder überhaupt zu tun imstande ist.

Ich stieg um fünf Uhr auf die Warte des Hauses Nr. 495 in der Stadt, von wo aus man die Übersicht nicht nur über die ganze Stadt hat, sondern auch über das Land um dieselbe bis zu dem fernsten Horizonte, an dem die ungarischen Berge wie zarte Luftbilder dämmern. Die Sonne war bereits herauf und glänzte freundlich auf die rauchenden Donauauen nieder, auf die spiegelnden Wässer und auf die vielkantigen Formen der Stadt, vorzüglich auf

die Stephanskirche, die ordentlich greifbar nahe an uns aus der Stadt wie ein dunkles, ruhiges Gebirge aus Gerölle emporstand. Mit einem seltsamen Gefühle schaute man die Sonne an, da an ihr nach wenigen Minuten so Merkwürdiges vorgehen sollte. Weit draußen, wo der große Strom geht, lag eine dicke, langgestreckte Nebellinie, auch im südöstlichen Horizonte krochen Nebel und Wolkenballen herum, die wir sehr fürchteten, und ganze Teile der Stadt schwammen in Dunst hinaus. An der Stelle der Sonne waren nur ganz schwache Schleier, und auch diese ließen große blaue Inseln durchblicken.

Die Instrumente wurden gestellt, die Sonnengläser in Bereitschaft gehalten, aber es war noch nicht an der Zeit. Unten ging das Gerassel

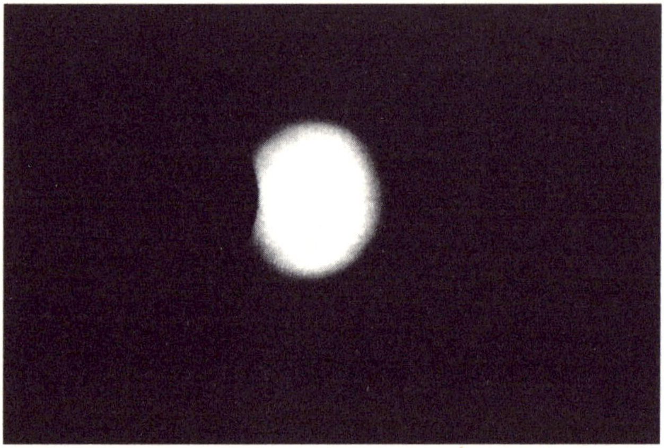

der Wägen, das Laufen und Treiben an – oben sammelten sich betrachtende Menschen, unsere Warte füllte sich, aus den Dachfenstern der umstehenden Häuser blickten Köpfe, auf Dachfirsten standen Gestalten, alle nach derselben Stelle des Himmels blickend, selbst auf der äußersten Spitze des Stephansturmes, auf der letzten Platte des Baugerüstes, stand eine schwarze Gruppe, wie auf Felsen oft ein Schöpfchen Waldanflug – und wie viele tausend Augen mochten in diesem Augenblicke von den umliegenden Bergen nach der Sonne schauen, nach derselben Sonne, die Jahrtausende den Segen herabschüttet, ohne daß einer dankt – heute ist sie das Ziel von Millionen Augen –; aber immer noch, wie man sie mit den dämpfenden Gläsern anschaut, schwebt

sie als rote oder grüne Kugel, rein und schön umzirkelt, in dem Raume.

Endlich, zur vorausgesagten Minute – gleichsam wie von einem unsichtbaren Engel empfing sie den sanften Todeskuß – ein feiner Streifen ihres Lichtes wich vor dem Hauche dieses Kusses zurück, der andere Rand wallte in dem Glase des Sternenrohres zart und golden fort – „es kommt", riefen nun auch die, welche bloß mit dämpfenden Gläsern, aber sonst mit freien Augen hinaufschauten – „es kommt" – und mit Spannung blickte nun alles auf den Fortgang. Die erste seltsame, fremde Empfindung rieselte nun durch die Herzen, es war die, daß draußen in der Entfernung von Tausenden und Millionen Meilen, wohin nie ein Mensch gedrungen, an Körpern, deren We-

sen nie ein Mensch erkannte, nun auf einmal etwas zur selben Sekunde geschehe, auf die es schon längst der Mensch auf Erden festgesetzt. Man wende nicht ein, die Sache sei ja natürlich und an den Bewegungsgesetzen der Körper leicht rechenbar; die wunderbare Magie des Schönen, die Gott den Dingen mitgab, frägt nichts nach solchen Rechnungen, sie ist da, weil sie da ist, ja sie ist trotz der Rechnungen da, und selig das Herz, welches sie empfinden kann; denn nur dies ist Reichtum und einen andern gibt es nicht – schon in dem ungeheuern Raum des Himmlischen wohnt das Erhabene, das unsere Seele überwältigt, und doch ist dieser Raum in der Mathematik sonst nichts als groß.

Indes nun alle schauten und man bald dieses, bald jenes Rohr rückte und stellte und sich auf dies und jenes aufmerksam machte, wuchs das unsichtbare Dunkel immer mehr und mehr in das schöne Licht der Sonne ein – alle harrten, die Spannung stieg; aber so gewaltig ist die Fülle dieses Lichtmeeres, das von dem Sonnenkörper niederregnet, daß man auf Erden keinen Mangel fühlte, die Wolken glänzten fort, das Band des Wassers schimmerte, die Vögel flogen und kreuzten lustig über den Dächern, die Stephanstürme warfen ruhig ihre Schatten gegen das funkelnde Dach, über die Brücke wimmelte das Fahren und Reiten wie sonst, sie ahneten nicht, daß indessen oben der Balsam des Lebens, das Licht, heimlich wegsieche – dennoch draußen an dem Kahlengebirge und

jenseits des Schlosses Belvedere war es schon, als schliche Finsternis oder vielmehr ein bleigraues Licht wie ein böses Tier heran – aber es konnte auch Täuschung sein, auf unserer Warte war es lieb und hell, und Wangen und Angesichter der Nahestehenden waren klar und freundlich wie immer.

Seltsam war es, daß dies unheimliche, klumpenhafte, tief schwarze, vorrückende Ding, das langsam die Sonne wegfraß, unser Mond sein sollte, der schöne sanfte Mond, der sonst die Nächte so florig silbern beglänzte; aber doch war er es, und im Sternenrohr erschienen auch seine Ränder mit Zacken und Wulsten besetzt, den furchtbaren Bergen, die sich auf dem uns so freundlich lächelnden Runde türmen.

Endlich wurden auch auf Erden die Wirkungen sichtbar und immer mehr, je schmäler die am Himmel glühende Sichel wurde; der Fluß schimmerte nicht mehr, sondern war ein taftgraues Band, matte Schatten lagen umher, die Schwalben wurden unruhig, der schöne sanfte Glanz des Himmels erlosch, als liefe er von einem Hauche matt an, ein kühles Lüftchen hob sich und stieß gegen uns, über den Auen starrte ein unbeschreiblich seltsames, aber bleischweres Licht, über den Wäldern war mit dem Lichterspiele die Beweglichkeit verschwunden, und Ruhe lag auf ihnen, aber nicht die des Schlummers, sondern die der Ohnmacht – und immer fahler goß sich's über die Landschaft, und diese wurde immer starrer – die Schatten unserer Gestalten legten sich leer

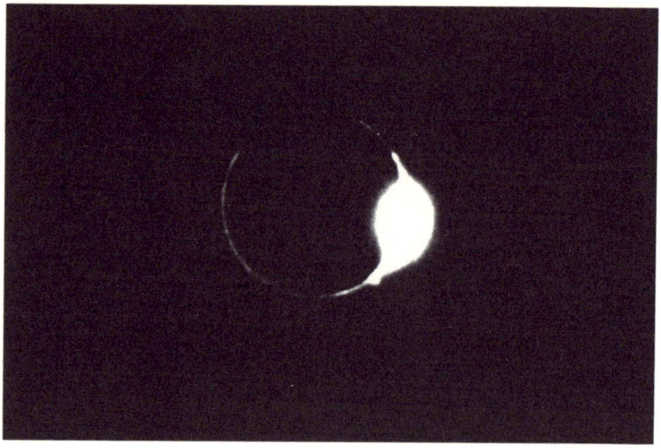

und inhaltslos gegen das Gemäuer, die Gesichter wurden aschgrau – erschütternd war dieses allmählige Sterben mitten in der noch vor wenigen Minuten herrschenden Frische des Morgens. Wir hatten uns das Eindämmern wie etwa ein Abendwerden vorgestellt, nur ohne Abendröte; wie geisterhaft aber ein Abendwerden ohne Abendröte sei, hatten wir uns nicht vorgestellt, aber auch außerdem war dies Dämmern ein ganz anderes, es war ein lastend unheimliches Entfremden unserer Natur; gegen Südost lag eine fremde gelbrote Finsternis, und die Berge und selbst das Belvedere wurden von ihr eingetrunken – die Stadt sank zu unsern Füßen immer tiefer wie ein wesenloses Schattenspiel hinab, das Fahren und Gehen und Reiten über die Brücke ge-

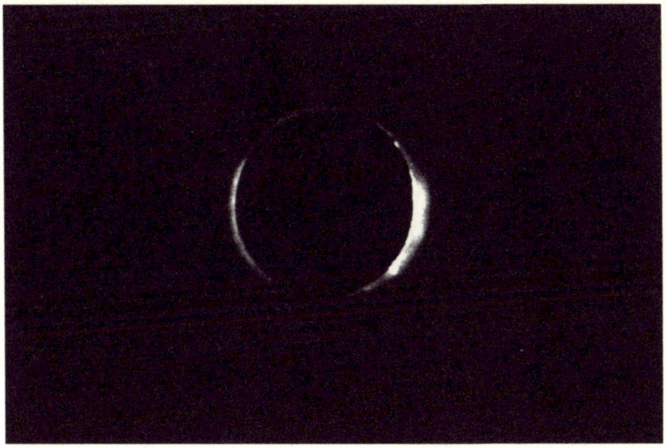

schah, als sähe man es in einem schwarzen Spiegel – die Spannung stieg aufs höchste – einen Blick tat ich noch in das Sternrohr, er war der letzte; so schmal, wie mit der Schneide eines Federmessers in das Dunkel geritzt, stand nur mehr die glühende Sichel da, jeden Augenblick zum Erlöschen, und wie ich das freie Auge hob, sah ich auch, daß bereits alle andern die Sonnengläser weggetan und bloßen Auges hinaufschauten – sie hatten auch keines mehr nötig; denn nicht anders als wie der letzte Funke eines erlöschenden Dochtes schmolz eben auch der letzte Sonnenfunken weg, wahrscheinlich durch die Schlucht zwischen zwei Mondbergen zurück – es war ein ordentlich trauriger Anblick – deckend stand nun Scheibe auf Scheibe und dieser Moment war es eigent-

lich, der wahrhaft herzzermalmend wirkte – das hatte keiner geahnet – ein einstimmiges „Ah“ aus aller Munde und dann Totenstille, es war der Moment, da Gott redete und die Menschen horchten.

Hatte uns früher das allmählige Erblassen und Einschwinden der Natur gedrückt und verödet und hatten wir uns das nur fortgehend in eine Art Tod schwindend gedacht: so wurden wir nun plötzlich aufgeschreckt und emporgerissen durch die furchtbare Kraft und Gewalt der Bewegung, die da auf einmal durch den ganzen Himmel lag; die Horizontwolken, die wir früher gefürchtet, halfen das Phänomen erst recht bauen, sie standen nun wie Riesen auf, von ihrem Scheitel rann ein fürchterliches Rot, und in tiefem kalten, schweren Blau wölb-

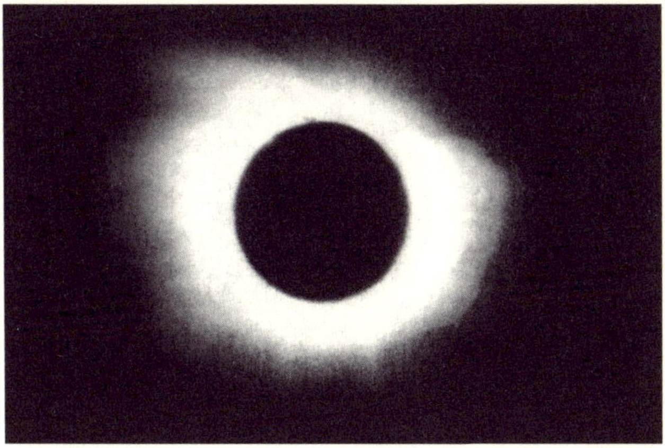

ten sie sich unter und drückten den Horizont Nebelbänke, die schon lange am äußersten Erdsaume gequollen und bloß mißfärbig gewesen waren, machten sich nun gelten und schauderten in einem zarten furchtbaren Glanze, der sie überlief – Farben, die nie ein Auge gesehen, schweiften durch den Himmel – der Mond stand mitten in der Sonne, aber nicht mehr als schwarze Scheibe, sondern gleichsam halb transparent wie mit einem leichten Stahlschimmer überlaufen, rings um ihn kein Sonnenrand, sondern ein wundervoller, schöner Kreis von Schimmer, bläulich, rötlich, in Strahlen auseinanderbrechend, nicht anders als gösse die oben stehende Sonne ihre Lichtflut auf die Mondeskugel nieder, daß es rings auseinanderspritzte – das Holdeste, was ich je an Lichtwirkung

sah! – Draußen, weit über das Marchfeld hin, lag schief eine lange spitze Lichtpyramide gräßlich gelb, in Schwefelfarbe flammend, und unnatürlich blau gesäumt; es war die jenseits des Schattens beleuchtete Atmosphäre, aber nie schien ein Licht so wenig irdisch und so furchtbar, und von ihm floß das aus, mittelst dessen wir sahen. Hatte uns früher Eintönigkeit verödet, so waren wir jetzt erdrückt von Kraft und Glanz und Massen – unsere eigenen Gestalten hafteten darinnen wie schwarze, hohle Gespenster, die keine Tiefe haben; das Phantom der Stephanskirche hing in der Luft, die andere Stadt war ein Schatten, alles Rasseln hatte aufgehört, über der Brücke war keine Bewegung mehr; denn jeder Wagen und Reiter stand, und jedes Auge schaute zum Himmel – – nie, nie

werde ich jene zwei Minuten vergessen – es war die Ohnmacht eines riesenhaften Körpers, unserer Erde. – – Wie heilig, wie unbegreiflich und wie furchtbar ist jenes Ding, das uns stets umflutet, das wir seelenlos genießen und das unseren Erdball mit solchen Schaudern überzittern macht, wenn es sich entzieht, das Licht, wenn es sich nur so kurz entzieht. – Die Luft wurde kalt, empfindlich kalt, es fiel Tau, daß Kleider und Instrumente feucht waren – die Tiere entsetzten sich; – was ist das schrecklichste Gewitter, es ist ein lärmender Trödel gegen diese todesstille Majestät – mir fiel Lord Byrons Gedicht ein: „Die Finsternis", wo die Menschen Häuser anzünden, Wälder anzünden, um nur Licht zu sehen – – – aber auch eine solche Erhabenheit, ich möchte sagen, Gottesnähe war

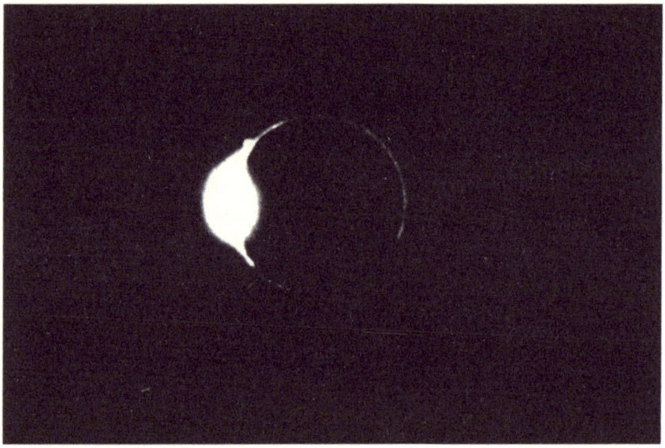

in der Erscheinung dieser zwei Minuten, daß dem Herzen nicht anders war, als müsse er irgendwo stehen. – – Byron war viel zu klein – es kamen wie mit einmal jene Worte des heiligen Buches in meinen Sinn, die Worte bei dem Tode Christi: „Die Sonne verfinsterte sich, die Erde bebte, die Toten standen aus den Gräbern auf, und der Vorhang des Tempels zerriß von oben bis unten.“ Auch wurde die Wirkung auf alle Menschenherzen sichtbar. Nach dem ersten Verstummen des Schrecks geschahen unartikulierte Laute der Bewunderung und des Staunens: der eine hob die Hände empor, der andere rang sie leise vor Bewegung, andere ergriffen sich bei denselben und drückten sich – eine Frau begann heftig zu weinen, eine andere in dem Hause neben uns fiel in

Ohnmacht, und ein Mann, ein ernster, fester Mann, hat mir später gesagt, daß ihm die Tränen herabgeronnen. Ich habe immer die alten Beschreibungen von Sonnenfinsternissen für übertrieben gehalten, so wie vielleicht in späterer Zeit diese für übertrieben wird gehalten werden; aber alle, so wie diese, sind weit hinter der Wahrheit zurück. Sie können nur das Geschehene malen, aber schlecht, das Gefühlte noch schlechter, aber gar nicht die namenlos tragische Musik von Farben und Lichtern, die durch den ganzen Himmel liegt – ein Requiem, ein *Dies irae,* das unser Herz spaltet, daß es Gott sieht und seine teuren Verstorbenen, daß es in ihm rufen muß: „Herr wie groß und herrlich sind deine Werke, wir sind wie Staub vor dir, daß du uns durch das bloße Weghauchen eines

Lichtteilchens vernichten kannst und unsere Welt, den holdvertrauten Wohnort, in einen wildfremden Raum verwandelst, darin Larven starren!“

Aber wie alles in der Schöpfung sein rechtes Maß hat, so auch diese Erscheinung, sie dauerte zum Glücke sehr kurz, gleichsam nur den Mantel hat er von seiner Gestalt gelüftet daß wir hineinsehen, und augenblicks wieder zugehüllt, daß alles sei wie früher. Gerade da die Menschen anfingen, ihren Empfindungen Worte zu geben, also da sie nachzulassen begannen, da man eben ausrief: „Wie herrlich, wie furchtbar!“ gerade in diesem Momente hörte es auf: mit eins war die Jenseitswelt verschwunden und die hiesige wieder da, ein einziger Lichttropfe quoll am obern Rande wie ein

weißschmelzendes Metall hervor, und wir hatten unsere Welt wieder – er drängte sich hervor, dieser Tropfe, wie wenn die Sonne selber ordentlich froh wäre, daß sie überwunden habe, ein Strahl schoß gleich durch den Raum, ein zweiter machte sich Platz – aber ehe man nur Zeit hatte, zu rufen: „Ach!“ bei dem ersten Blitz des ersten Atomes, war die Larvenwelt verschwunden und die unsere wieder da; das bleifarbene Lichtgrauen, das uns vor dem Erlöschen so ängstlich schien, war uns nun Erquickung, Labsal, Freund und Bekannter, die Dinge warfen wieder Schatten, das Wasser glänzte, die Bäume waren grün, wir sahen uns in die Augen – siegreich kam Strahl an Strahl, und wie schmal, wie winzig schmal auch nur noch erst der leuchtende Zirkel war, es schien,

als sei uns ein Ozean von Licht geschenkt worden – man kann es nicht sagen, und der es nicht erlebt, glaubt es kaum, welche freudige, welche siegende Erleichterung in die Herzen kam: wir schüttelten uns die Hände, wir sagten, daß wir uns zeitlebens daran erinnern wollen, daß wir das miteinander gesehen haben – man hörte einzelne Laute, wie sich die Menschen von den Dächern und über die Gassen zuriefen, das Fahren und Lärmen begann wieder, selbst die Tiere empfanden es; die Pferde wieherten und die Sperlinge auf den Dächern begannen ein Freudengeschrei, so grell und närrisch, wie sie es gewöhnlich tun, wenn sie sehr aufgeregt sind, und die Schwalben schossen blitzend und kreuzend, hinauf, hinab, in der Luft umher. Das Wachsen des Lichtes machte keine Wirkung

mehr, fast keiner wartete den Austritt ab, die Instrumente wurden abgeschraubt, wir stiegen hinab, und auf allen Straßen und Wegen waren heimkehrende Gruppen und Züge in den heftigsten, exaltiertesten Gesprächen und Ausrufungen begriffen. Und ehe sich noch die Wellen der Bewunderung und Anbetung gelegt hatten, ehe man mit Freunden und Bekannten ausreden konnte, wie auf diesen, wie auf jenen, wie hier, wie dort die Erscheinung gewirkt habe, stand wieder das schöne, holde, wärmende, funkelnde Rund in den freundlichen Lüften, und das Werk des Tages ging fort; – wie lange aber das Herz des Menschen fortwogte, bis es auch wieder in sein Tagewerk kam, wer kann es sagen? Gebe Gott, daß der Eindruck recht lange nachhalte, er war ein herrlicher,

dessen selbst ein hundertjähriges Menschenleben wenige aufzuweisen haben wird. Ich weiß, daß ich nie, weder von Musik noch Dichtkunst noch von irgendeinem Phänomen oder einer Kunst so ergriffen und erschüttert worden war – freilich bin ich seit Kindheitstagen viel, ich möchte fast sagen, ausschließlich mit der Natur umgegangen und habe mein Herz an ihre Sprache gewöhnt und liebe diese Sprache, vielleicht einseitiger, als es gut ist; aber ich denke, es kann kein Herz geben, dem nicht diese Erscheinung einen unverlöschlichen Eindruck zurückgelassen habe.

Ihr aber, die es im höchsten Maße nachempfunden, habet Nachsicht mit diesen armen Worten, die es nachzumalen versuchten und so weit zurückblieben. Wäre ich Beethoven, so

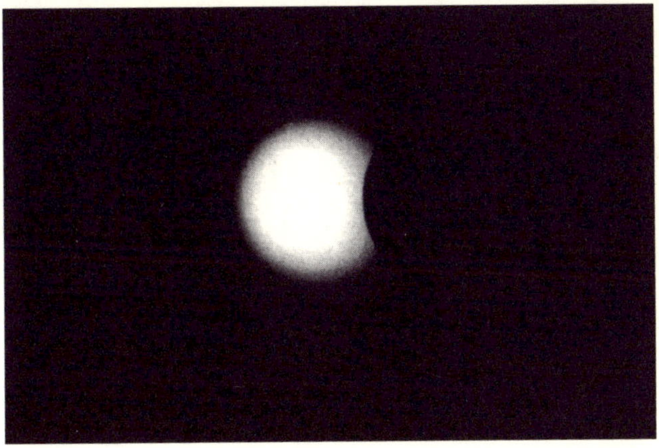

würde ich es in Musik sagen; ich glaube, da könnte ich es besser.

Zum Schlusse erlaube man mir noch zwei kurze Fragen, die mir dieses merkwürdige Naturereignis aufdrängte.

Erstens. Warum, da doch alle Naturgesetze Wunder und Geschöpfe Gottes sind, merken wir sein Dasein in ihnen weniger, als wenn einmal eine plötzliche Änderung, gleichsam eine Störung derselben geschieht, wo wir ihn dann plötzlich und mit Erschrecken dastehen sehen? Sind diese Gesetze sein glänzendes Kleid, das ihn deckt, und muß er es lüften, daß wir ihn selber schauen?

Zweitens. Könnte man nicht auch durch Gleichzeitigkeit und Aufeinanderfolge von Lichtern und Farben ebensogut eine Musik für

das Auge wie durch Töne für das Ohr ersinnen? Bisher waren Licht und Farbe nicht selbständig verwendet, sondern nur an Zeichnung haftend; denn Feuerwerke, Transparente, Beleuchtungen sind doch nur noch zu rohe Anfänge jener Lichtmusik, als daß man sie erwähnen könnte. Sollte nicht durch ein Ganzes von Lichtakkorden und Melodien ebenso ein Gewaltiges, Erschütterndes angeregt werden können wie durch Töne? Wenigstens könnte ich keine Symphonie, Oratorium oder dergleichen nennen, das eine so hehre Musik war als jene, die während der zwei Minuten mit Licht und Farbe an dem Himmel war, und hat sie auch nicht den Eindruck ganz allein gemacht, so war sie doch ein Teil davon.

* * *

*publication P N°1*
Bibliothek der Provinz

*Verlag für Literatur, Kunst und Musikalien*